D0272689

Pour Marley,
fais confiance à ton imagination.
R.S.

Titre original : *Splat the Cat – Back to school, Splat !*

Couverture : Rob Scotton
Texte original : Laura Bergen
Illustrations intérieures : Charles Grosvenor et Joe Merkel
D'après les créations de Rob Scotton
Publié par arrangement spécial avec HarperCollins Children's Books,
une division de HarperCollins Publishers.

25 avenue Pierre-de-Coubertin 75013 Paris.
ISBN : 978-2-09-253910-1
Loi n°49-956 du 16 juillet 1949
sur les publications destinées à la jeunesse,
modifiée par la loi n° 2011-525 du 17 mai 2011.
N°éditeur : 10244747 – Dépôt légal : juin 2012
Achevé d'imprimer en mars 2018 par Pollina (85400, Luçon, France) - 84249B

Splat raconte ses vacances

D'après le personnage de Rob Scotton

Sur le chemin de l'École des Chats,
la queue de Splat frétille et se tortille
comme une chenille.
C'est la rentrée des classes, et Splat est
impatient de revoir ses amis et sa maîtresse.

Le soir, alors qu'il rentre à la maison,
la queue de Splat traîne par terre
derrière lui. Il n'est plus du tout content.
Le premier jour d'école se termine,
et il a déjà des devoirs !

DEVOIRS

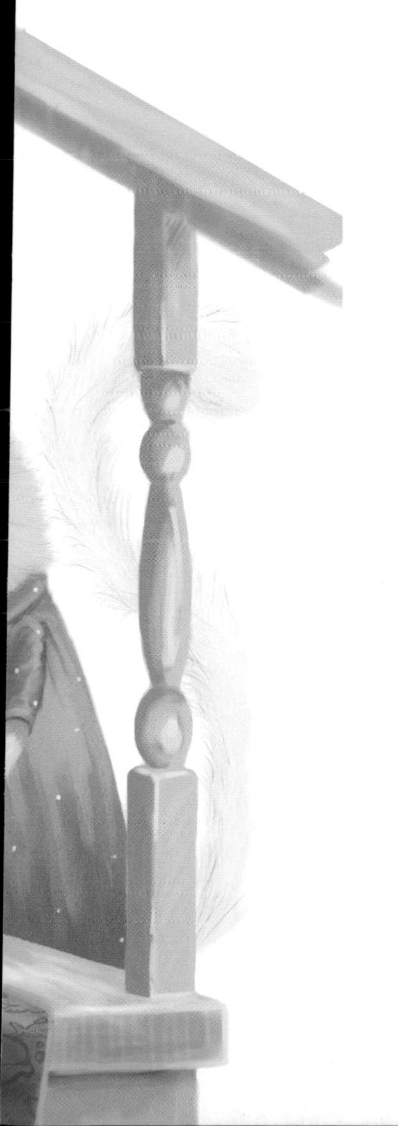

– Qu'est-ce que tu as, Splat ?
demande sa petite sœur.
– Je dois raconter mes vacances
et rapporter un souvenir en classe,
répond Splat.
Mais j'ai fait tellement
de trucs géniaux, cet été !
Comment je vais pouvoir
en choisir un seul ?

Cet été, Splat a participé
à une grande course de vélo.

– Je peux venir moi aussi ?
avait demandé sa petite sœur.
– Les vélos des petites sœurs ne sont pas assez rapides pour faire la course, avait répondu Splat.

Mais sa petite sœur était venue
quand même.

Cet été, Splat s'est baigné dans un océan plein de requins.

– Je peux venir, moi aussi ?
avait demandé sa petite sœur.
– Les petites sœurs ne sont pas
assez fortes pour se défendre contre
les requins, avait répondu Splat.

Mais sa petite sœur était venue
quand même.

Cet été, Splat a participé
à un grand match de football.

– Je peux venir, moi aussi ?
avait demandé sa petite sœur.
– Les petites sœurs ne sont pas
assez grandes pour jouer au football,
avait répondu Splat.

Mais sa petite sœur était venue
quand même.

Cet été, Splat est parti à la recherche d'un trésor de pirates.

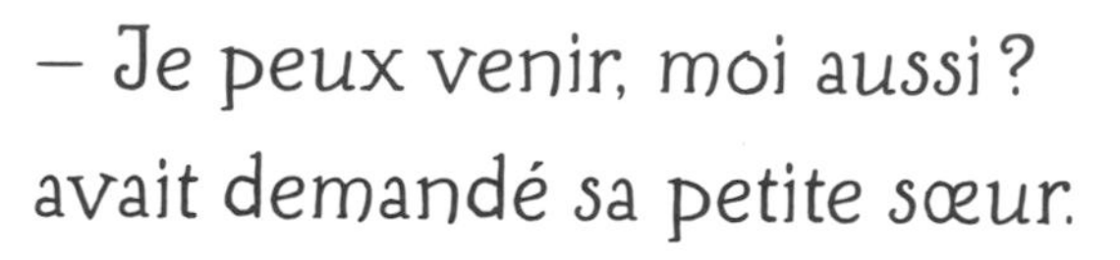

– Je peux venir, moi aussi ?
avait demandé sa petite sœur.
– Les petites sœurs ne sont pas
assez malignes pour trouver des trésors,
avait répondu Splat.

Mais sa petite sœur était venue
quand même.

Et puis, cet été, Splat a même construit une fusée pour se lancer à la conquête de l'espace.

– Je peux venir, moi aussi ?
avait demandé sa petite sœur.
– C'est trop tard, avait répondu Splat.
Le compte à rebours a déjà commencé :
10... 9... 8... 7... 6... 5... euh...
ça fait quoi ensuite ?

Mais sa petite sœur était
venue quand même.
Et elle avait dit :
– 4... 3... 2... 1... Décollage !

– Il m'est arrivé un tas d'aventures, dit Splat à Harry Souris. Comment est-ce que je pourrais n'en raconter qu'une seule ? Et quel souvenir je pourrais bien apporter en classe ?
Harry Souris hausse les épaules. Il n'en sait rien.

Soudain, Splat a une idée.
Eh oui ! Il y a bien un « souvenir »
qui illustre parfaitement ses vacances !

Le lendemain, Splat arrive à l'école
avec la queue qui frétille et se tortille
comme une chenille.
Et il est très content que sa petite sœur
soit venue aussi !

Ma petite sœur